在庆祝中国共产主义青年团成立100周年大会上的讲话

（2022年5月10日）

习　近　平

人民出版社

图书在版编目(CIP)数据

在庆祝中国共产主义青年团成立100周年大会上的讲话/习近平 著. —北京:人民出版社,2022.5

ISBN 978-7-01-024773-1

Ⅰ.①在… Ⅱ.①习… Ⅲ.①习近平-讲话②中国共产主义青年团-历史-学习参考资料 Ⅳ.①D2-0②D293

中国版本图书馆CIP数据核字(2022)第074002号

(RMC-ZJDXI-127-20220510)

在庆祝中国共产主义青年团成立100周年大会上的讲话

ZAI QINGZHU ZHONGGUO GONGCHAN ZHUYI QINGNIANTUAN CHENGLI 100 ZHOUNIAN DAHUI SHANG DE JIANGHUA

(2022年5月10日)

习 近 平

人民出版社 出版发行

(100706 北京市东城区隆福寺街99号)

北京新华印刷有限公司印刷 新华书店经销

2022年5月第1版 2022年5月北京第1次印刷

开本:880毫米×1230毫米 1/32 印张:0.5

字数:8千字

ISBN 978-7-01-024773-1 定价:2.00元

邮购地址 100706 北京市东城区隆福寺街99号

人民东方图书销售中心 电话 (010)65250042 65289539

在庆祝中国共产主义青年团成立 100 周年大会上的讲话

（2022 年 5 月 10 日）

习　近　平

共青团员们，青年朋友们，同志们：

青春孕育无限希望，青年创造美好明天。一个民族只有寄望青春、永葆青春，才能兴旺发达。

今天，我们在这里隆重集会，庆祝中国共产主义青年团成立 100 周年，就是要激励广大团员青年在实现中华民族伟大复兴中国梦的新征程上奋勇前进。

首先，我代表党中央，向全体共青团员和各级共青团组织、团干部，致以热烈的祝贺和诚挚的问候！

共青团员们、青年朋友们、同志们！

中华民族是历史悠久、饱经沧桑的古老民族，更是自强不息、朝气蓬勃的青春民族。在 5000 多年源远流长的文明历史中，中华民族始终有着“自古英雄出少年”的传统，始终有着“长江后浪推前浪”的情怀，始终有着“少年强则国强，少年进步则国进步”的信念，始终有着“希望寄托在你们身上”的期待。千百年来，青春的力量，青春的涌动，青春的创造，始终是推动中华民族勇毅前行、屹立于世界民族之林的磅礴力量！

青年的命运，从来都同时代紧密相连。1840 年鸦片战争以后，中国逐步成为半殖民地半封建社会，国家蒙辱、人民蒙难、文明蒙尘，中华民族遭受了前所未有的劫难。一批又一批仁人志士为救国救民而苦苦追寻，一大批先进青年在“觉醒年代”纷纷觉醒。伟大的五四运动促进了马克思主义在中国的传播，拉开了新民主主义革命的序幕，也标志着中国青年成为推动中国社会变革的急先锋。

青春力量一经觉醒，先进思想一经传播，中华大地便迅速呈现出轰轰烈烈的革命新气象。在马克思列宁主义同中国工人运动的紧密结合中，中国共产党应运而生。中国共产党一经诞生，就把关注的目光投向青年，把革命的希望寄予青年。党的一大专门研究了建立和发展青年团作为党的预备学校的问题。1922 年 5 月 5 日，在中国共产党直接关怀和领导下，中国共产主义青年团宣告成立。这在中国革命史和青年运动史上具有里程碑意义！

坚定不移跟党走，为党和人民奋斗，是共青团的初心使命。一百年来，在党的坚强领导下，共青团不忘初心、牢记使命，走在青年前列，组织引导一代又一代青年坚定信念、紧跟党走，为争取民族独立、人民解放和实现国家富强、人民幸福而贡献力量，谱写了中华民族伟大复兴进程中激昂的青春乐章。

新民主主义革命时期，共青团广泛传播马克思主义，用先进思想启迪青年觉醒、凝聚青春力量，团结带领广大团员青年踊跃投身反帝反封建的工人运动、农民运动、学生运动，积极参加党领导的革命武装，在打倒军阀、抗日救亡、推翻国民党反动统治的伟大斗争中冲锋陷阵，展现出不怕牺牲、浴血斗争的精神风貌。刀光剑影，枪林弹雨，广大团员青年对党忠贞不渝，经受住了生与死的考验，为中国革命胜利贡献了青春、建立了重要功勋！

社会主义革命和建设时期，共青团积极参与中华民族有史以来最为广泛而深刻的社会变革，组建青年突击队、青年垦荒队、青年扫盲队，开展学雷锋活动，团结带领广大团员青年激发“敢教日月换新天”的豪情，喊出“把青春献给祖国”的响亮口号，向科学进军，向困难进军，向荒原进军，展现出敢于拼搏、辛勤劳动的精神风貌。艰难困苦，千难万险，广大团员青年主动作为、勇挑重担，哪里最困难、哪里就有团的旗帜，哪里有需要、哪里就有团员青年的身影，为祖国建设贡献了青春、建立了重要功勋！

改革开放和社会主义现代化建设新时期，共青团适应党和国家工作中心战略转移，解放思想，锐意进取，广泛开展争当新长征突击手、“五讲四美三热爱”、希望工程、青年志愿者、青年文明号、保护母亲河等一大批青春气息浓烈的创造性活动，团结带领广大团员青年发出“团结起来、振兴中华”的时代强音，在现代化建设各条战线上勇立潮头，展现出敢闯敢干、引领风尚的精神风貌。革故鼎新，建设四化，广大团员青年勇作改革闯将，开风气之先，为改革开放和社会主义现代化建设贡献了青春、建立了重要功勋！

中国特色社会主义新时代，共青团积极投身伟大斗争、伟大工程、伟大事业、伟大梦想波澜壮阔的实践，坚持守正创新、踔厉奋发，全面深化自身改革，团结带领广大团员青年在脱贫攻坚战场摸爬滚打，在科技攻关岗位奋力攀登，在抢险救灾前线冲锋陷阵，在疫情防控一线披甲出征，在奥运竞技赛场奋勇争先，在保卫祖国哨位威武守护，在党和人民最需要的时刻冲得出来、顶得上去，展现出自信自强、刚健有为的精神风貌。“清澈的爱，只为中国”，成为当代中国青年发自内心的最强音。伟大梦想，伟大使命，广大团员青年自觉担当重任，深入基层一线，让青春在实现中华民族伟大复兴的中国梦中绽放异彩，为党和国家事业取得历史性成就、发生历史性变革贡献了青春、建立了重要功勋！

时代各有不同，青春一脉相承。一百年来，中国共青团始终与党同心、跟党奋斗，团结带领广大团员青年把忠诚书写在党和人民事业中，把青春播撒在民族复兴的征程上，把光荣镌刻在历史行进的史册里。

历史和实践充分证明，中国共青团不愧为中国青年运动的先锋队，不愧为党的忠实助手和可靠后备军！

共青团员们、青年朋友们、同志们！

越是往前走、向上攀，越是要善于从走过的路中汲取智慧、提振信心、增添力量。一百年来，共青团坚定理想、矢志不渝，形成了宝贵经验。这是共青团面向未来、再立新功的重要遵循。

——百年征程，塑造了共青团坚持党的领导的立身之本。没有中国共产党，就没有中国共青团。共青团从诞生之日起，就以党的旗帜为旗帜、以党的意志为意志、以党的使命为使命，把坚持党的领导深深融入血脉之中，形成了区别于其他青年组织的根本特质和鲜明优势。听党话、跟党走始终是共青团坚守的政治生命，党有号召、团有行动始终是一代代共青团员的政治信念。历史充分证明，只有坚持党的领导，共青团才能团结带领青年前进，推动中国青年运动沿着正确政治方向前行。

——百年征程，塑造了共青团坚守理想信念的政治之魂。共青团把青年人组织起来，是在理想信念感召下坚定信仰的结合、科学主义的结合。团的一大就明确提出了建设共产主义社会的远大理想，亮出了社会主义的鲜明旗帜，在一代又一代青年心中点亮理想之灯、发出信念之光，这是共青团最根本、最持久的凝聚力。历史充分证明，只有始终高举共产主义、社会主义旗帜，共青团才能形成最为牢固的团结、锻造最有战斗力的组织，始终把青年凝聚在党的理想信念旗帜之下。

——百年征程，塑造了共青团投身民族复兴的奋进之力。党的奋斗主题就是团的行动方向。共青团紧扣党在不同历史时期的中心任务，团结带领广大团员青年积极投身人民群众的壮阔实践，在民族复兴征程上勇当先锋、倾情奉献，发挥生力军和突击队作用，使实现民族复兴成为中国青年运动一以贯之的恢弘主流。历史充分证明，只有牢牢扭住为中华民族伟大复兴而奋斗这一主题，共青团才能团结起一切可以团结的青春力量，唱响壮丽的青春之歌。

——百年征程，塑造了共青团扎根广大青年的活力之源。共青团历经百年沧桑而青春焕发，依靠的就是始终扎根广大青年，始终把工作重点聚焦在最广大的工农青年和普通青年群体，把心紧紧同青年连在一起，把青年人的心紧紧同党贴在一起。历史充分证明，只有不断从广大青年这片沃土中汲取养分、获取力量，共青团才能成为广大青年信得过、靠得住、离不开的贴心人。

共青团员们、青年朋友们、同志们！

在中国共产党坚强领导下，全国各族人民万众一心、齐心协力，胜利实现了第一个百年奋斗目标，在中华大地上全面建成了小康社会，正在意气风发向着全面建成社会主义现代化强国的第二个百年奋斗目标迈进。

实现中国梦是一场历史接力赛，当代青年要在实现民族复兴的赛道上奋勇争先。时代总是把历史责任赋予青年。新时代的中国青年，生逢其时、重任在肩，施展才干的舞台无比广阔，实现梦想的前景无比光明。在庆祝中国共产党成立 100 周年大会上，共青团员、少先队员代表响亮喊出“请党放心、强国有我”的青春誓言。这是新时代中国青少年应该有的样子，更是党的青年组织必须有的风貌。

在新的征程上，如何更好把青年团结起来、组织起来、动员起来，为实现第二个百年奋斗目标、实现中华民族伟大复兴的中国梦而奋斗，是新时代中国青年运动和青年工作必须回答的重大课题。共青团要增强引领力、组织力、服务力，团结带领广大团员青年成长为有理想、敢担当、能吃苦、肯奋斗的新时代好青年，用青春的能动力和创造力激荡起民族复兴的澎湃春潮，用青春的智慧和汗水打拼出一个更加美好的中国！

这里，我给共青团提几点希望。

第一，坚持为党育人，始终成为引领中国青年思想进步的政治学校。志存高远方能登高望远，胸怀天下才可大展宏图。火热的青春，需要坚定的理想信念。我们党用“共产主义”为团命名，就是希望党的青年组织永远站在理想信念的高地上，用党的科学理论武装青年，用党的初心使命感召青年，用党的光辉旗帜指引青年，用党的优良作风塑造青年。新时代的中国青年，更加自信自强、富于思辨精神，同时也面临各种社会思潮的现实影响，不可避免会在理想和现实、主义和问题、利己和利他、小我和大我、民族和世界等方面遇到思想困惑，更加需要深入细致的教育和引导，用敏锐的眼光观察社会，用清醒的头脑思考人生,用智慧的力量创造未来。共青团作为广大青年在实践中学习中国特色社会主义和共产主义的学校,要从政治上着眼、从思想上入手、从青年特点出发,帮助他们早立志、立大志,从内心深处厚植对党的信赖、对中国特色社会主义的信心、对马克思主义的信仰。要立足党的事业后继有人这一根本大计,牢牢把握培养社会主义建设者和接班人这个根本任务,引导广大青年在思想洗礼、在实践锻造中不断增强做中国人的志气、骨气、底气,让革命薪火代代相传!

第二,自觉担当尽责,始终成为组织中国青年永久奋斗的先锋力量。奋斗是青春最亮丽的底色,行动是青年最有效的磨砺。有责任有担当,青春才会闪光。青年是常为新的,最具创新热情,最具创新动力。党和人民事业发展离不开一代又一代有志青年的拼搏奉献。只有当青春同党和人民事业高度契合时,青春的光谱才会更广阔,青春的能量才能充分迸发。青年是社会中最有生气、最有闯劲、最少保守思想的群体,蕴含着改造客观世界、推动社会进步的无穷力量。共青团要团结带领广大团员青年勇做新时代的弄潮儿,自觉听从党和人民召唤,胸怀"国之大者",担当使命任务,到新时代新天地中去施展抱负、建功立业,争当伟大理想的追梦人,争做伟大事业的生力军,让青春在祖国和人民最需要的地方绽放绚丽之花!

第三,心系广大青年,始终成为党联系青年最为牢固的桥梁纽带。共青团是党领导的群团组织,也是青年人自己的组织。团的最大优势在于遍布基层一线、深入青年身边。要紧扣服务青年的工作生命线,履行巩固和扩大党执政的青年群众基础这一政治责任,既把青年的温度如实告诉党,也把党的温暖充分传递给青年。要千方百计为青年办实事、解难事,主动想青年之所想、急青年之所急,充分依托党赋予的资源和渠道,为青年提供实实在在的帮助,让广大青年真切感受到党的关爱就在身边、关怀就在眼前!

第四,勇于自我革命,始终成为紧跟党走在时代前列的先进组织。对共青团来说,建设什么样的青年组织、怎样建设青年组织是事关根本的重大问题。“常制不可以待变化,一途不可以应无方,刻船不可以索遗剑。”共青团只有勇于自我革命,才能跟上时代前进、青年发展、实践创新的步伐。要把党的全面领导落实到工作的全过程各领域,走好中国特色社会主义群团发展道路,聚焦不断保持和增强政治性、先进性、群众性的目标方向,推动共青团改革向纵深发展。要敏于把握青年脉搏,依据青年工作生活方式新变化新特点，探索团的基层组织建设新思路新模式，带动青联、学联组织高扬爱国主义、社会主义旗帜，不断巩固和扩大青年爱国统一战线。要自觉对标全面从严治党经验做法，以改革创新精神和从严从实之风加强自身建设，严于管团治团，在全方位、高标准锻造中焕发出共青团昂扬向上的时代风貌！

“人生万事须自为，跬步江山即寥廓。”追求进步，是青年最宝贵的特质，也是党和人民最殷切的希望。新时代的广大共青团员，要做理想远大、信念坚定的模范，带头学习马克思主义理论，树立共产主义远大理想和中国特色社会主义共同理想，自觉践行社会主义核心价值观，大力弘扬爱国主义精神；要做刻苦学习、锐意创新的模范，带头立足岗位、苦练本领、创先争优，努力成为行业骨干、青年先锋；要做敢于斗争、善于斗争的模范，带头迎难而上、攻坚克难，做到不信邪、不怕鬼、骨头硬；要做艰苦奋斗、无私奉献的模范，带头站稳人民立场，脚踏实地、求真务实，吃苦在前、享受在后，甘于做一颗永不生锈的螺丝钉；要做崇德向善、严守纪律的模范，带头明大德、守公德、严私德，严格遵纪守法，严格履行团员义务。广大共青团员要认真接受政治训练、加强政治锻造、追求政治进步，积极向党组织靠拢，以成长为一名合格的共产党员为目标、为光荣。

长期以来，广大团干部发扬优良传统，认真履职尽责，为党的青年工作作出了重要贡献。团干部要铸牢对党忠诚的政治品格，高扬理想主义的精神气质，心境澄明，心力茁壮，让人迎面就能感受到年轻干部应有的清澈和纯粹。要自觉践行群众路线、树牢群众观点，同广大青年打成一片，做青年友，不做青年"官"，多为青年计，少为自己谋。要培养担当实干的工作作风，不尚虚谈、多务实功，勇于到艰苦环境和基层一线去担苦、担难、担重、担险，老老实实做人，踏踏实实干事。要涵养廉洁自律的道德修为，心有所畏、言有所戒、行有所止，不断锤炼意志力、坚忍力、自制力，做一个一心为公、一身正气、一尘不染的人。

共青团员们、青年朋友们、同志们！

革命人永远是年轻。中国共产党立志于中华民族千秋伟业，百年恰是风华正茂。列宁曾经引用恩格斯的话说过："我们是未来的党，而未来是属于青年的。我们是革新者的党，而总是青年更乐于跟着革新者走。我们是跟腐朽的旧事物进行忘我斗争的党，而总是青年首先投身到忘我斗争中去。"历史和现实都证明，中国共产党是始终保持青春特质的党，是永远值得青年人信赖和追随的党。

在实现中华民族伟大复兴的征程上，中国共产党是先锋队，共青团是突击队，少先队是预备队。入队、入团、入党，是青年追求政治进步的“人生三部曲”。中国共产党始终向青年敞开大门，热情欢迎青年源源不断成为党的新鲜血液。共青团要履行好全团带队政治责任，规范和加强少先队推优入团、共青团推优入党工作机制，着力推动党、团、队育人链条相衔接、相贯通。各级党组织要高度重视培养和发展青年党员，特别是要注重从优秀共青团员中培养和发展党员，确保红色江山永不变色。

李大钊说过：“青年者，国家之魂。”过去、现在、将来青年工作都是党的工作中一项战略性工作。各级党委（党组）要倾注极大热忱研究青年成长规律和时代特点，拿出极大精力抓青年工作，做青年朋友的知心人、青年工作的热心人、青年群众的引路人。各级党组织要落实党建带团建制度机制，经常研究解决共青团工作中的重大问题，热情关心、严格要求团干部，支持共青团按照群团工作特点和规律创造性地开展工作。

共青团员们、青年朋友们、同志们！

早在两千多年前，孔子就说：“后生可畏，焉知来者之不如今也？”青年之于党和国家而言，最值得爱护、最值得期待。青年犹如大地上茁壮成长的小树,总有一天会长成参天大树,撑起一片天。青年又如初升的朝阳,不断积聚着能量,总有一刻会把光和热洒满大地。党和国家的希望寄托在青年身上!

1937 年,毛泽东同志为陕北公学成立题词时说:“要造就一大批人,这些人是革命的先锋队。这些人具有政治远见。这些人充满着斗争精神和牺牲精神。这些人是胸怀坦白的,忠诚的,积极的,与正直的。这些人不谋私利,唯一的为着民族与社会的解放。这些人不怕困难,在困难面前总是坚定的,勇敢向前的。这些人不是狂妄分子,也不是风头主义者,而是脚踏实地富于实际精神的人们。中国要有一大群这样的先锋分子,中国革命的任务就能够顺利的解决。”今天,党和人民同样需要一大批这样的先锋分子,党中央殷切希望共青团能够培养出一大批这样的先锋分子。这是党的殷切期待,也是祖国和人民的殷切期待!